在纪念胡耀邦同志诞辰100周年座谈会上的讲话

（2015年11月20日）

习　近　平

人　民　出　版　社

在纪念胡耀邦同志诞辰 100 周年座谈会上的讲话

（2015 年 11 月 20 日）

习　近　平

同志们，朋友们：

今天，我们怀着崇敬的心情，在这里隆重集会，纪念胡耀邦同志诞辰 100 周年，缅怀他为中国革命、建设、改革事业作出的卓越贡献，追思学习他的革命精神和崇高风范，激励全党全国各族人民为夺取中国特色社会主义新胜利、实现中华民族伟大复兴的中国梦而努力奋斗。

胡耀邦同志是久经考验的忠诚的共产主义战士，伟大的无产阶级革命家、政治家，我军杰出的政治工作者，长期担任党的重要领导职务的卓越领导人。他 14 岁加入中国共产主义青年团,18 岁转为中国共产党党员。在长达 60 年的革命生涯中,从苏区的“红小鬼”到党和国家领导人,从冲锋陷阵的革命战士到改革开放的开拓者,他为中华民族独立和解放、为社会主义革命和建设、为中国特色社会主义探索和开创建立了不朽功勋。

100 年前,胡耀邦同志出生在湖南省浏阳县。那个时代的中国,风雨如晦,国运飘摇。为了挽救民族危亡,中国人民和无数仁人志士顽强奋斗、上下求索。少年时代,胡耀邦同志就关心国家和民族前途命运,立志寻求救国救民的真理。大革命失败后,我们党领导的革命斗争进入艰难时期,胡耀邦同志依然投身革命,在革命根据地从事青少年工作。他树立起坚定的共产主义信仰,为革命根据地建设特别是青年团建设做了大量工作,成长为一名坚定的革命战士。

胡耀邦同志参加了二万五千里长征,艰苦卓绝的革命斗争磨炼了他的革命意志。到达陕北后,他领导的“扩红”、“筹款”和青年工作成果显著,受到毛泽东同志称赞。他曾担任中央军委总政治部组织部副部长、部长，为加强人民军队政治思想建设和组织建设作出了贡献。解放战争时期，他战斗在第一线，率部转战华北和西北地区，参加领导了张家口、石家庄、太原、宝鸡等战役。他为抗日战争和解放战争胜利发挥了重要作用。

新中国成立后，胡耀邦同志率部进军大西南，在肃清残余反动势力的同时，积极推动建立和巩固新生人民政权。他在担任中共川北区党委书记、行署主任、军区政委期间，创造性地贯彻执行党的路线方针政策，领导进行土地改革、开展剿匪反霸斗争、稳定社会秩序、恢复和发展工农业生产，迅速打开了工作局面。邓小平同志曾评价这个时期胡耀邦同志在川北的工作是搞得好的，“有主见，不盲从”。

1952 年后，胡耀邦同志先后任团中央书记处书记、第一书记。在主持团中央工作 10 多年时间里，他忠实执行党中央指示，围绕党的中心工作组织富有青年特色的活动，团结带领团员青年积极参加社会主义建设。他特别强调坚持党对青年团工作的领导，提出团的工作要背靠党委、面向青年,注重在实践中用共产主义思想教育团员青年,在全团倡导“朝气蓬勃,实事求是”的作风。

1962 年,胡耀邦同志兼任中共湖南省委书记处书记兼湘潭地委第一书记。1964 年 11 月起,他先后兼任中共中央西北局第三、第二书记和陕西省委第一书记。他深入实际、实事求是,关心群众、扎实工作,推进了当地经济建设和各项事业的发展。

“文化大革命”期间,胡耀邦同志遭受严重迫害,但他不顾个人荣辱安危,同林彪、江青反革命集团进行了坚决斗争。1975 年,在担任中国科学院党组织负责人时,他贯彻邓小平同志提出的全面整顿方针,实事求是反映科技战线的实际情况,努力消除“文化大革命”给科技工作造成的不良影响。

“文化大革命”结束后,胡耀邦同志开拓进取、勤奋工作、顶风破浪、披荆斩棘,在党和国家历史上留下了浓墨重彩的一页。在 1981 年 6 月至 1987 年 1 月担任中共中央主席、中央委员会总书记职务期间,他积极参与制定和贯彻以邓小平同志为核心的党的第二代中央领导集体的重大决策和战略部署，为坚持党的十一届三中全会以来的路线方针政策、为推动改革开放和社会主义现代化建设、为推进中国特色社会主义事业作出了多方面重大贡献。

胡耀邦同志坚持党的解放思想、实事求是的思想路线，组织和推动了关于真理标准问题的讨论。在邓小平同志等老一辈革命家领导和支持下开展的这场思想解放运动，成为拨乱反正和改革开放的思想先导，为党的十一届三中全会作了重要理论准备。他坚持实事求是、有错必纠，推动党的组织路线拨乱反正，组织和领导了平反冤假错案、落实干部政策的大量工作，使大批受到迫害的老同志重新走上领导岗位，使大批蒙受冤屈和迫害的干部、知识分子和普通群众得到平反昭雪。

胡耀邦同志认真贯彻邓小平同志全面改革的思想，强调要充分认识改革的艰巨性和复杂性，把改革贯穿现代化建设的整个过程，为推进改革倾注了大量心血。他坚决拥护党和国家工作重点转移，积极推进改革开放和社会主义现代化建设，关心欠发达地区建设事业，指导经济特区改革试验，强调要利用国内资源和国外资源、打开国内市场和国际市场。他坚持尊重知识、尊重人才，推动科技、教育、文艺、新闻工作出现了蓬勃发展的局面。他高度重视统一战线工作，为加强中国共产党同各民主党派和无党派人士的团结合作做了大量工作。他坚持党的外交方针政策，明确提出处理党际关系的四项原则，为新时期我国对外政策的制定和实施、为推动我国对外工作开创新局面发挥了积极作用。

胡耀邦同志为加强和改善党的领导做了大量工作，强调要规范党内政治生活，维护党的民主集中制，严明党的纪律，发展党内民主，整顿党的作风。他坚持干部队伍“四化”方针，推进各级领导班子建设和干部人事制度改革，满腔热情关怀和培养优秀年轻干部，坚定不移同不正之风和腐败现象作斗争。

胡耀邦同志把自己的一生献给了党和人民。他的一生，是光辉的一生、战斗的一生。在为党和人民事业的不懈奋斗中，他夙夜在公、呕心沥血，鞠躬尽瘁、死而后已，书写了无愧于共产党员称号的人生，作出了彪炳史册的贡献。

同志们、朋友们！

在中国革命、建设、改革的历史进程中，一代又一代共产党人奋斗探索，既创造了欣欣向荣的伟大事业，也留下了弥足珍贵的精神财富。胡耀邦同志就是众多优秀共产党人中的一位杰出代表，他的革命精神和崇高风范永远值得我们学习。

——我们纪念胡耀邦同志，就是要学习他坚守信仰、献身理想的高尚品格。胡耀邦同志从青少年时期起就立志高远，要做新制度的建设者。自从树立共产主义远大理想之后，不论是严酷的战争环境，还是和平建设年代、改革开放时期，他都坚持理想信念，坚韧不拔奋斗、探索、前进。他说，理想是我们这个国家和民族的一个非常重要的精神支柱。我们已进入了社会主义历史阶段，我们的最高理想是共产主义，一定要讲基本原则、基本精神，不能离开这个最终目标。改革开放之初，针对一些错误思想和模糊认识，他旗帜鲜明指出："共产主义的思想和共产主义的实践早已存在于我们的现实生活中。那种认为‘共产主义是渺茫的幻想’、‘共产主义没有经过实践检验’的观点,是完全错误的。我们每天的生活都包含着共产主义,都离不了共产主义。”他强调:“没有马克思的学说,就没有我们的今天。无论过去、现在和将来,我们都要向马克思请教,认真学习他的著作,从中汲取智慧和力量。”

打铁还需自身硬,硬就硬在我们共产党人有着坚定的理想信念。全党同志要坚定理想信念,增强中国特色社会主义道路自信、理论自信、制度自信,真正做到虔诚而执着、至信而深厚。

——我们纪念胡耀邦同志,就是要学习他心在人民、利归天下的为民情怀。“心在人民,原无论大事小事;利归天下,何必争多得少得。”这是胡耀邦同志题写的一副对联。胡耀邦同志保持着劳动人民本色,对人民群众怀有深厚感情。他说,共产党人参加工作,不是为了享福,要在为人民服务中去追求人生的乐趣和价值。他强调,脱离群众是危险的,联系群众才有智慧,认为自己一切都行了,不再需要深入实际依靠群众了,对群众的意见不当一回事,特别是不同意见和反面意见难听进去了,于是就危险了!他语重心长告诫各级干部,经常到基层去接触群众,心里才会装着人民,才会时刻想着人民,才能真正为人民群众做一些实事、好事。他强调,改革开放的根本目的就是要让人民过上好日子,我们共产党员要时时刻刻为人民着想,使人民尽快富裕起来。胡耀邦同志是这样说的,也是这样做的。他经常深入基层、调研考察,每到一处,他都同当地干部群众一起谈改革、话致富,为当地发展出主意、想办法,勉励广大干部群众发愤图强,使经济尽快发展起来、人民尽快富裕起来。

全心全意为人民服务是我们党的根本宗旨。全党同志要时刻把人民的安危冷暖放在心上,把中央的要求与人民的期待紧密结合起来,出实招、办实事、求实效,把心思和精力都用在为群众谋利益、谋福祉上,不断让人民群众得到实实在在的好处。

——我们纪念胡耀邦同志,就是要学习他实事求是、勇于开拓的探索精神。胡耀邦同志坚持实事求是原则，并躬行实践。他说，共产党员要靠实事求是吃饭，不要靠别的什么吃饭，靠别的东西吃饭终究要上当吃亏。回顾历史，他告诫大家，干一切事情，都不能从本本出发，从小道道出发，从迷信出发，从想当然出发，而是要从实际出发。改革开放之初，他就强调，只有从实际出发，冲破不适合我国情况的、错误的观点和模式，全面系统地、坚决而有秩序地、有领导有步骤地实行改革，才能全面开创新的局面，才能使马克思主义的基本原理同现代化建设的具体实际更好地结合起来，成功地建设中国特色社会主义。他身体力行、不断探索，为形成和发展中国特色社会主义作出了重要贡献。

实事求是，是我们共产党人的重要思想方法，是保证党和国家事业健康发展的关键。全党同志要坚持解放思想、实事求是、与时俱进、求真务实，在实践中认识真理、把握规律，用发展着的马克思主义指导新的实践，用新的实践丰富和发展马克思主义，努力开创事业发展新局面、马克思主义发展新境界。

——我们纪念胡耀邦同志，就是要学习他求真务实、敢于担当的优秀品质。马克思说，为了实现思想，就要有使用实践力量的人。胡耀邦同志崇尚干实事，他希望领导干部不要当平庸之辈，更不能当昏聩之徒，而是要做有为之人。他说，我们中国共产党人应该是既有远见卓识又有求实精神的革命者。共产党员要会干实事，多干实事，不是应付上面，更不是图虚名。他强调，只要情况清楚，意见一致，又敢于负责，就不要搞烦琐哲学、形式主义的东西。他对身边的同志说，为千千万万的人民服务，千辛万苦，要横下一条心，该坚持的一定要坚持，该挺身而出的一定要挺身而出，该表扬的一定要表扬，该批评的一定要批评，至于个人的成败利钝，一概不在话下。他经常用自己成长过程中出现的失误或过错教育同志，要大家引以为戒。工作中出现了问题，他首先承担责任，决不诿过于人。他说，知错就改，光明磊落一辈子；知错不改，内疚一辈子。

面对当前改革发展稳定遇到的新形势新情况新问题，全党同志要有所作为、有所进步，就要敢于较真碰硬、敢于直面困难，自觉把使命放在心上、把责任扛在肩上，努力在协调推进“四个全面”战略布局中取得新的更大的成绩。

——我们纪念胡耀邦同志，就是要学习他公道正派、廉洁自律的崇高风范。同胡耀邦同志接触过的人，都有深切的感受，他一身正气、品节高尚。他总是教导大家要有公道待人的好作风，要有刚直不阿的革命正气，要理直气壮、光明正大地讲党性、讲公道话。他宽以待人、顾全大局；他心口如一、言行一致；他坚持任人唯贤、五湖四海。他提出要同存在着的不正之风作坚决的斗争，扭转风气，窍门就是抓住不放、顽强到底。他对腐败行为深恶痛绝，严肃指出要用最大的决心、最大的毅力、最大的韧性狠狠抓贪污腐败、以权谋私这件事。对自己和家人，胡耀邦同志的要求格外严格，他说共产党人是给人民办事的，不是给一家一族办事的！

公道正派才能出清风正气，廉洁自律才能塑良好形象。党风和社会风气的根本好转，良好政治生态的营造，要靠全党上下不懈努力。全党同志要严守清正廉洁的政治本色，以良好党风带动政风民风，用实实在在的行动赢得人民群众信任和拥护，从而凝聚起推动党和人民事业不断从胜利走向胜利的强大力量。

同志们、朋友们！

胡耀邦同志离开我们已经26年了。改革开放以来，老一辈革命家为之奋斗的事业大踏步前进了、发展了，他们孜孜以求的美好理想正在一步步变成现实。一切伟大的成就都是接续奋斗、接力探索的结果，一切伟大的事业都需要在承前启后、继往开来中推进。我们要团结一心、锐意进取，努力创造无愧于时代、无愧于人民、无愧于先辈的新业绩。这是我们对老一辈革命家的最好纪念。

图书在版编目(CIP)数据

在纪念胡耀邦同志诞辰100周年座谈会上的讲话/
习近平 著. —北京:人民出版社,2015.12
ISBN 978-7-01-015649-1

Ⅰ.①在… Ⅱ.①习… Ⅲ.①习近平-讲话-学习参考
资料 ②胡耀邦(1915~1989)-生平事迹-学习参考
资料 Ⅳ.①D2-0 ②K827=7

中国版本图书馆CIP数据核字(2015)第294478号

(RMC-ZJDXI-032-20151120)

在纪念胡耀邦同志诞辰100周年座谈会上的讲话

ZAI JINIAN HU YAOBANG TONGZHI DANCHEN 100 ZHOUNIAN
ZUOTANHUI SHANG DE JIANGHUA

(2015年11月20日)

习 近 平

人民出版社 出版发行
(100706 北京市东城区隆福寺街99号)

北京新华印刷有限公司印刷 新华书店经销

2015年12月第1版 2015年12月北京第1次印刷
开本:880毫米×1230毫米 1/32 印张:0.5
字数:7千字

ISBN 978-7-01-015649-1 定价:2.00元

邮购地址 100706 北京市东城区隆福寺街99号
人民东方图书销售中心 电话 (010)65250042 65289539